El punto sobre la i

Es siempre una buena salsa. Feliz aquél que tiene un buen repertorio de recetas. Porque, al igual que el hábito hace al monje, las salsas coronan el plato. Quien haya aprendido las bases de su preparación, podrá introducir en su menú más variación y logrará creaciones propias.

Para ello sólo necesita práctica, buenos utensilios e ingredientes de primera calidad, ya que de ellos depende el buen sabor de toda salsa.

Fotos en color:
Odette Teubner
y Kerstin Mosny

EDITORIAL EVEREST, S. A.

MADRID • LEON • BARCELONA • SEVILLA • GRANADA • VALENCIA
ZARAGOZA • LAS PALMAS DE GRAN CANARIA • LA CORUÑA
PALMA DE MALLORCA • ALICANTE – MEXICO • BUENOS AIRES

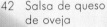

¿Con qué se sirve esta salsa?

Eso depende del gusto y acierto de cada uno. Una salsa debe armonizar siempre con el sabor y el color del plato con que se sirve y acentuar su propio sabor. Naturalmente los platos de sabor suave no armonizan bien con una salsa fuerte, como otros que tienen su aroma característico.

Las salsas en las que predomina su consistencia y aroma no logran su objetivo. La cantidad varía también según el modo de empleo. Un pequeño medallón de ternera o un filete de lenguado no deben servirse nunca «ahogados» en un mar de salsa.

Para un plato de pasta, por el contrario, se necesita una buena cantidad de ella. Pues precisamente en un plato de pasta la salsa no es sólo la que proporciona el sabor, sino que tiene que saciar el apetito.

Pastas

Las salsas para pastas pueden ser fuertes y estar hechas a base de pescado, carne, verdura, ave o de queso y nata sencillamente. Las salsas para pasta puede usted variarlas según el gusto.

Verduras

Como la verdura en sí es ligera y pobre en calorías, las salsas de guarnición pueden ser tranquilamente abundantes para compensar. Son apropiadas las salsas de suave aroma, porque no cubren el sabor de la verdura. Para los espárragos son excelentes las salsas batidas, como la holandesa o la bearnesa, e igualmente una salsa ligera de finas hierbas. Si la verdura es el plato principal, la salsa puede tranquilamente ser fuerte para que sacie, por ejemplo, una salsa-crema con tiras de jamón para acompañar un colinabo, o una bechamel para un budín de verduras.

Pescados

Con el pescado, especialmente el cocido, o hecho al vapor, son excelentes las salsas finas, como por ejemplo, una salsa de crema de perifollo. El pescado frito o hecho a la parrilla puede servirse con una mayonesa a la que se le añadirá abajo, aceitunas o hierbas.

Al pescado frío como filetes de arenque o salmón ahumado le va bien una salsa agridulce.

Carnes

La salsa aquí depende de la clase de carne y la forma de prepararla. Un solomillo tierno hecho en su jugo o frito puede servirse con una salsa fuerte sin que predomine el sabor de ésta. La carne a la parrilla puede ir acompañada de una salsa picante, como una salsa con pimentón y pimienta de Cayena o una salsa de aceitunas y ajo. Esta clase de salsas es buena también para salchichas fritas a la parrilla.

Muy originales son las salsas agridulces, como salsa de grosellas negras o de arándanos rojos, muy adecuados para platos de carne.

Aves

Las pechugas de gallina, cocidas o fritas son finas y tienen un sabor acentuado. Son extraordinarias para ello las salsas de curry o de azafrán, o también una salsa de setas.

Ayudas útiles

Batidora eléctrica

Se necesita para purés, salsas de verduras, aliños de ensaladas y también para batir mantequilla y nata para refinar las salsas. Si antes de servir una salsa la bate rápidamente con la batidora, su consistencia será suave y espumosa.

Mezcladora

Es práctica para batir salsas, sobre todo en grandes cantidades. De todos modos hay que calentarlas de nuevo.

Tamiz fino

Práctico para pasas salsas con ingredientes gruesos, por ejemplo, chalotas picadas o pepitas de frambuesas.

Cazuela para baño maría

Hay una cazuela especial para este menester. Se llena de agua hirviendo y se sirve para hacer salsas batidas, pero también para mantener caliente un alimento. El agua debe estar a punto de ebullición sin llegar a hervir, pues las salsas batidas contienen, casi siempre, huevos o mantequilla y habiendo exceso de calor forman fácilmente grumos. Si no disponemos de esta cazuela, puede utilizar una corriente, llena de agua. Dentro se coloca un recipiente refractario idóneo. Los de acero inoxidable son excelentes para este fin, porque mantienen bien el calor. Al igual que en el caso anterior, el agua no debe llegar a hervir.

Varillas y batidora de mano
Al batir las salsas, con el movimiento entra aire en ellas, y hace que sean suaves y finas. Además se unen bien los ingredientes, consiguiendo una masa homogénea.

Con la picadora
Pueden picarse rápidamente especias, hierbas, pescado, carne y verduras antes de incorporarlos a la salsa.

Tabla y cuchillo
La tabla de picar es un utensilio importante en la cocina. (si se mueve al cortar, ponga debajo un paño de cocina).
Lo principal para la cocina son siempre unos cuchillos bien afilados. Al comprarlos hay que tener en cuenta la buena calidad de los mismos. Cuestan más, naturalmente, pero vale la pena, pues con buenos utensilios de cocina es un placer cocinar.

Prensa de ajos
Con ella el ajo queda más fino que picado con cuchillo. Algunas tienen un limpiador adicional; las corrientes no, pero pueden limpiarse bien con ayuda de un palillo de dientes.

Cómo ligar las salsas

Salsa base
Derretir 1 cucharada de mantequilla, añadir la misma cantidad de harina, tostarla ligeramente y regar con 3/8 l de líquido (agua, caldo, fondo o vino). Remover continuamente y dejar cocer suavemente de 8-10 minutos hasta que esté ligada. Sazonar al gusto y añadir las hierbas, alcaparras, mostaza, etc.
Si la salsa tiene que ser oscura, rehogar la harina hasta que esté muy tostada. Para ello es necesaria un poco más de harina, ya que al tostarla más, pierde un poco de su capacidad de ligazón. La bechamel es una variente y como líquido se utiliza la leche.

Espesante
Es un producto moderno que puede adquirirse claro y oscuro.

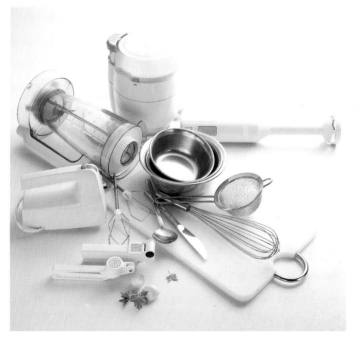

Con estos utensilios y aparatos eléctricos de cocina podrá conseguir fácilmente la consistencia correcta de cada salsa.

5

Se añade a la salsa hirviendo y hace que espese rápidamente y sin grumos.

Fécula

Hay que desleirla en un poco de líquido frío, se añade a las salsas calientes y se deja hervir ligeramente. Según la cantidad que se use, así espesará la salsa.

Bola de harina y mantequilla

Amasar 1 cucharada de harina con la misma cantidad de mantequilla y formar una bola. Retirar la salsa del fuego y añadir la bola amasada dejando cocer 3-5 minutos a fuego lento para que se quite el sabor a harina y espese la salsa.

Arruruz

Es un buen espesante extraído de plantas tropicales. Es conocido también con el nombre de *Arrowroot* y puede adquirirse en establecimientos dietéticos. De sabor neutral, espesa antes de empezar a cocer. Una cucharilla de café de este producto puede espesar igual que una cucharada sopera de harina. Apropiado para platos de cocina exóticos.

Yema de huevo

Debe desleirse siempre con un poco de salsa y luego añadirla a la misma calentándola con sumo cuidado sin que llegue a hervir, de lo contrario se cortaría la yema formando grumos.

Nata, crema fresca, doble crema

La nata es bastante líquida y liga la salsa al cocer. La doble crema y la crema fresca no son necesarias en la misma medida para ser más espesas. La crema fresca es más agria y le da a la salsa un sabor particular.

Caldos, fondos de carne, productos lácteos, mantequilla, especias, finas hierbas y patatas ralladas son los productos perfectos para ligar una salsa. Con ellos se elaboran en un santiamén las salsas que coronan un plato.

Nata agria

Al contrario que los productos análogos arriba mencionados, tiene solamente un contenido de grasa de un 10%. Esto significa que no admite un calor excesivo porque se cortaría. Por eso no está muy indicada para ligar salsas, es más bien para dar sabor a las mismas. Sin embargo, no aporta calorías y puede utilizarse para salsas frías como la de la ensalada.

Mantequilla

Para que la mantequilla puede ligar bien una salsa, debe estar muy fría. Hay que batirla, troceada previamente, hasta que se ponga cremosa. Es mejor la mantequilla de nata dulce que la de nata agria. Las salsas «montadas» con mantequilla, como dicen los profesionales son buenas para acompañar pescados finos o carne. Como es muy nutritiva, debe usarse en pequeñas cantidades. Cuando se quiere conservar caliente una salsa, lo más adecuado es el baño maría.

Puré de verduras

Las salsas ligadas con verduras son aromáticas y pobres en calorías. Tienen que ser rehogadas o cocidas al vapor y luego hechas puré. Muy adecuadas son las cebollas, los pimientos y también las patatas crudas. Se rallan directamente en la salsa y se cuecen en ella.

Especias multicolores dan a las salsas una nota especial y al mismo tiempo sabor.

Puré de patata

Ligar las salsas con puré de patatas instantáneo es un truco fácil y eficaz. La cantidad a utilizar depende del grado de densidad de la salsa.

Reducir

Una salsa puede espesarse también sin añadir ninguna sustancia especial para ligar. Se deja cocer hasta que se espese y así quede reducida. Tenga especial cuidado en sazonarla al final de la cocción, pues al reducirse el sabor de las especias se eleva considerablemente.

Y ahora un par de consejos y trucos

Las salsas resultan más finas

Si antes de servirlas les añade un par de cucharadas de nata batida.

Si la salsa ha espesado demasiado

Añada un poco de caldo o agua y remueva hasta lograr la consistencia deseada. Deje que dé un hervor y rectifique de sal si es necesario.

Si tiene demasiada sal

Deslía 2 cucharaditas de harina en un poco de nata, añádalo a la salsa y deje que hierva tapada 5 minutos a fuego muy suave. O ralle una patata directamente en la salsa y deje cocer igualmente unos minutos.

Espesar

Para espesar una salsa se le puede añadir tomate concentrado o mostaza. Cualquiera de estas dos cosas le dan un bonito color.

Un toque de color

Puede darse también a una salsa añadiendo especias como azafrán, curry, cúrcuma y pimiento. Basta una pequeña cantidad para mejorar el color y el sabor.

Fondo claro de ternera

Se utiliza como base para salsas claras.

Ingredientes para 1 l:

2 zanahorias

1 puerro (de 150 g)

2 tallos de apio

1 raíz de perejil

1 cebolla mediana

1,2 kg de hueso de ternera con algo de carne o recortes

3 cucharadas de mantequilla

1 cucharada de pimienta blanca en grano

1 hoja de laurel

Sal

3/8 l de vino blanco seco

Elaborada

En total:
3 500 kj/830 kcal
13 g de proteínas · 40 g de grasas · 43 g de hidratos de carbono

• Tiempo de preparación: unas 3 horas

1. Limpiar y lavar todas las verduras y cortar las zanahorias en dados finos, el puerro en aros anchos, el apio picarlo con las hojas, y la raíz de perejil rascarla y picarla gruesa.
2. Lavar bien los huesos con agua fría.
3. Calentar la mantequilla en una cazuela grande y rehogar los huesos y las verduras sin que se doren.
4. Añadir los granos de

pimienta, el laurel y un poco de sal y rehogar con el vino.
5. Agregar 2 1/2 l de agua y cocer 2 horas con la cazuela destapada hasta que el líquido se haya reducido a 1 l. Finalmente colarlo por un tamiz fino y sazonar al gusto.

Fondo oscuro de ternera

La base para salsas oscuras. Recomendamos hacer una buena cantidad y congelarlo.

Ingredientes para 1 l:

1,2 kg de huesos de ternera

2 cucharadas de aceite

3 cucharadas de tomate concentrado

100 g de tallos de apio

100 g de zanahorias

2 cebollas medianas

1 hoja de laurel

2 cucharaditas de pimienta negra en grano

1 rama de tomillo

2 granos de pimienta de Jamaica

3/8 l de vino blanco seco

Elaborada

En total:
2 300 kj/550 kcal
5 g de proteínas · 17 g de grasas · 30 g de hidratos de carbono

• Tiempo de preparación: 3 1/2 horas

1. Lavar bien los huesos con agua fría y secarlos. Calentar el aceite en una cazuela

grande y freír los huesos hasta que tomen color. Añadir el tomate.
2. Mientras lavar el apio y trocearlo. Pelar las zanahorias y trocearlas también. Pelar las cebollas y cortarlas en octavos. Pelar el ajo. Mezclar todo con los huesos y sofreírlo.
3. Incorporar el laurel, los granos de pimienta, el tomillo y la pimienta de Jamaica. Regar con el vino, remover bien y cocer a fuego medio hasta que el vino se haya reducido casi del todo.
4. Agregar 2 l de agua y cocer 3 horas escasas a fuego suave, con la cazuela destapada y espumando el caldo de vez en cuando. Añadir agua si es necesario. Colarlo por un tamiz fino, dejar enfriar y, si se desea, desengrasarlo.

Sugerencia

Para desengrasar el fondo deje que enfríe y retire después la capa de grasa formada en la superficie.

En primer plano: Fondo claro de ternera. En segundo plano: Fondo oscuro de ternera.

Fondo de venado

Con él se preparan las fuertes salsas para platos de caza.
Puede variarse añadiendo crema fresca, jalea de grosellas o nueces.

Ingredientes para 1 l:
2 zanahorias
1 cebolla grande
2 puerros
2 tallos da apio
1 kg de huesos de venado y recortes (hacer trocear al carnicero)
2 cucharadas de aceite
1 ramillete de perejil
1 hoja de laurel
1 rama de tomillo
2 cucharaditas de pimienta negra en grano
2 cucharaditas de bayas de enebro
1 diente de ajo
3/4 l de vino tinto seco
2 l de agua
Sal

Refinada

En total:
3 800 kj/900 kcal
13 g de proteínas · 18 g de grasas · 38 g de hidratos de carbono

• Tiempo de preparación: unas 3 horas

1. Pelar las zanahorias, lavarlas y cortarlas en rodajas gruesas. Pelar la cebolla y cortarla en octavos. Limpiar bien el puerro, lavarlo y cortarlo en rodajitas. Hacer lo mismo con el apio y trocearlo con las hojas. Lavar y secar los huesos.

2. Calentar el aceite en una fuente refractaria y rehogar los huesos a fuego fuerte hasta que se forme el jugo.

3. Añadir las verduras y rehogarlas también hasta que adquieran un poco de color. Lavar el perejil, sacudirlo para que escurra y añadirlo con el laurel, el tomillo, la pimienta y el eneldo. Pelar el ajo, cortarlo a la mitad y añadirlo también.

4. Agregar el vino tinto y cocer hasta que éste se haya reducido casi del todo. Añadir el agua y cocer a fuego suave hasta que el líquido quede reducido a la mitad. Pasarlo por un tamiz fino, salar y enfriar. Finalmente retirar la capa de grasa de la superficie.

Fondo de ave

Gracias a las materias gelatinosas de la piel y huesos de las aves, el fondo resulta también un poco gelatinoso y adquiere un fuerte sabor, que da a las salsas cuerpo y un aroma especial. En la olla exprés se acorta el tiempo de cocción de los fondos hasta en dos terceras partes.

Ingredientes para 1 l:

1 puerro (150 g aproximadamente)

1 trozo de bulbo de apio (unos 100 g)

2 tallos de apio

1 zanahoria

750 g de recortes de aves, como alas, piel y huesos

1 rama de tomillo

1 cucharada de pimienta blanca en grano

1 hoja de laurel

3/4 l de vino blanco seco

1 1/2 l de agua

Sal

Fácil

En total unos:
3 000 kj/710 kcal
10 g de proteínas · 3 g de grasa · 39 g de hidratos de carbono

• Tiempo de preparación: 4-5 horas

1. Limpiar y lavar el puerro y trocearlo grueso. Pelar el bulbo de apio y cortarlo en dados. Lavar los tallos de apio y cortarlos en lonchitas junto con las hojas. Raspar la zanahoria, lavarla y trocearla.

2. Lavar los recortes de ave, cortarlos en trozos y ponerlos en una cazuela con las verduras. Añadir el tomillo, la pimienta, el laurel y el vino. Llevar a ebullición y cocer hasta que el vino se haya evaporado casi por completo.

3. Agregar el agua y cocer destapado 2 horas a fuego suave. Tamizarlo y cocer a fuego medio 1-2 horas más hasta que quede reducido a 1 litro. Dejar enfriar y retirar la capa de grasa que se forma en la superficie.

4. Utilizar el fondo de ave para sopas o salsas. Como la preparación lleva mucho tiempo, vale la pena preparar mayor cantidad y congelarlo en porciones.

Salsa de mostaza a la crema

Adecuada para pescados al vapor, pechugas de ave cocidas o langostinos.

Ingredientes para 4 personas:

2 chalotas

1 cucharada de mantequilla

1/4 l de vino blanco seco

4 cucharadas de mostaza para asados

6 cucharadas de crema fresca

Sal

Pimienta blanca recién molida

Zumo de limón

Salsa Worcester

Fácil

Por persona:
740 kj/180 kcal
2 g de proteínas · 12 g de grasas · 4 g de hidratos de carbono

- Tiempo de preparación: 15 minutos

1. Pelar las chalotas finas. Calentar la mantequilla y glasearla hasta que estén tiernas.
2. Agregar el vino y cocer a fuego medio hasta reducir a la mitad.
3. Incorporar la mostaza y la crema fresca, dejar dar un hervor y sazonar con sal, pimienta, zumo de limón y salsa Worcester.

Salsa de vino tinto a la mantequilla

Exquisita para platos de venado, hígado o carne frita poco hecha.

Ingredientes para 4 personas:

2 chalotas

1 cucharada de mantequilla

3/8 l de Beaujolais (o cualquier otro vino tinto seco)

125 g de mantequilla muy fría

Sal

Pimienta negra recién molida

Rápida

Por persona:
Unos 1 500 kj/360 kcal
1 g de proteínas · 32 g de grasas · 2 g de hidratos de carbono

- Tiempo de preparación: 15 minutos

1. Pelar y picar las chalotas. Calentar la mantequilla en una cazuela y glasearlas hasta que estén tiernas.
2. Agregar el vino tinto y cocer a fuego medio hasta que se reduzca a la mitad. Retirar del fuego.
3. Añadir la mantequilla troceada y batir con las varillas hasta que la salsa adquiera un punto cremoso. Salpimentar al gusto.

Salsa de queso a la pimienta

La salsa clásica para los bistecs, pero también puede servirse con pescado frito, filetes de carne picada o ñoquis de ave.

Ingredientes para 4 personas:

100 g de queso fresco

1/8 l de caldo de carne

3 cucharadas de pimienta verde en grano

2 cucharadas de coñac

Pimentón dulce

Sal

Zumo de limón

Económica

Por persona:
250 kj/60 kcal
3 g de proteínas · 4 g de grasas · 1 g de hidratos de carbono

- Tiempo de preparación: 15 minutos

1. Poner el queso y el caldo en una cazuela, batir con las varillas y llevar a ebullición.
2. Añadir la pimienta y el coñac y dejar cocer hasta que se reduzca un poco.
3. Sazonar con pimentón, sal y zumo de limón.

En primer plano: Salsa de queso a la pimienta. En segundo plano: Salsa de mostaza a la crema. Al fondo: Salsa de vino tinto a la mantequilla.

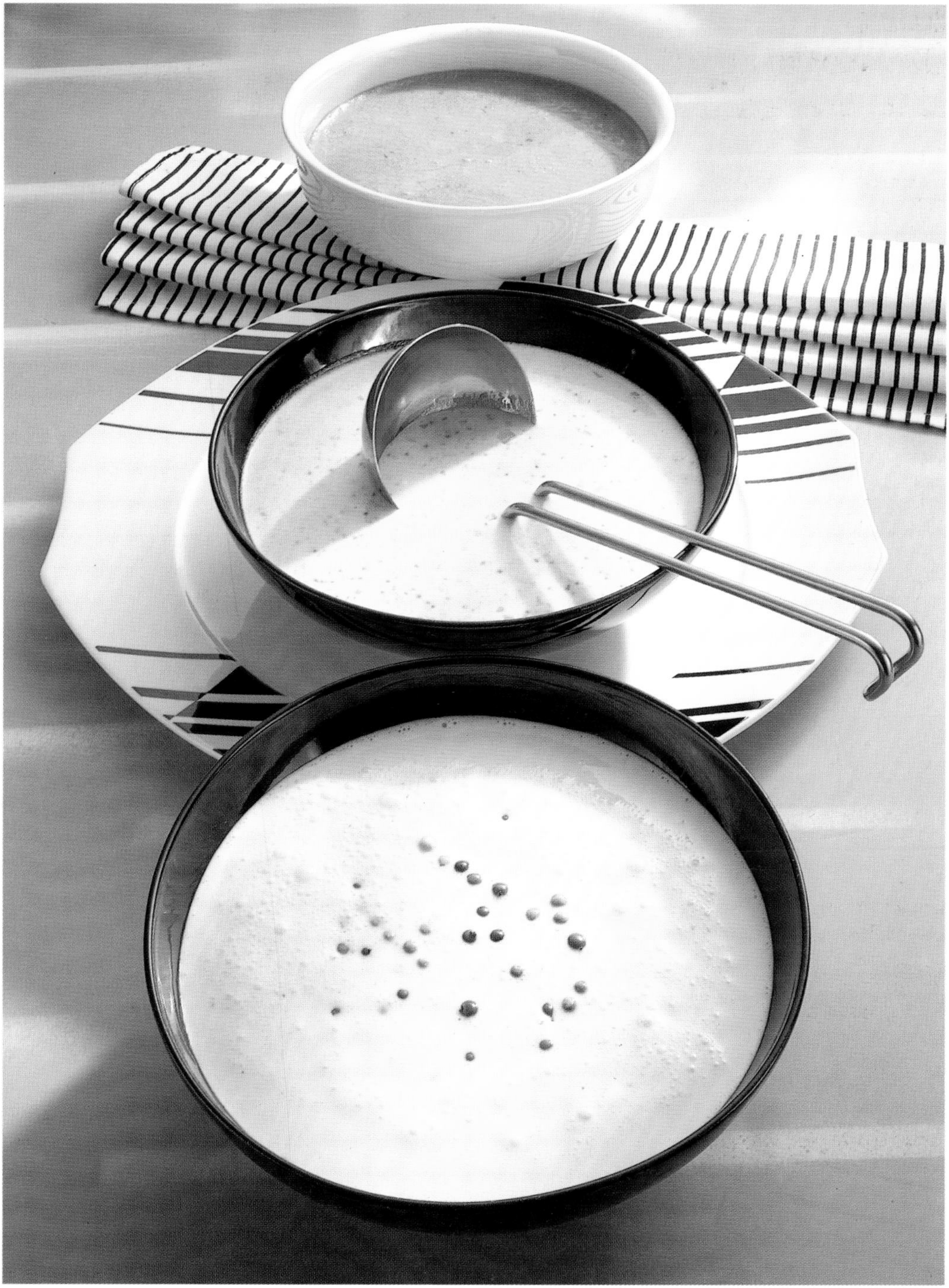

Salsa bechamel

Una salsa-base para budines, gratinados y suflés. Y para verduras, patatas y huevos escalfados. Esta forma de prepararla es muy fácil.

Ingredientes para 4 personas:

100 g de mantequilla, sal

50 g de harina, 1/2 l de leche

Pimienta blanca recién molida

Nuez moscada recién rallada

Fácil

Por persona:
1 300 kj/300 kcal
6 g de proteínas · 25 g de grasas · 15 g de hidratos de carbono

- Tiempo de preparación: 10 minutos

1. Cortar la mantequilla en dados y ponerla en un cazo con la harina y la leche. Sazonar con sal, pimienta y nuez moscada.
2. Cocer la salsa 5 minutos a fuego muy suave hasta que espese. Antes de servir sazonarla de nuevo.

Variante
Salsa Soubise

Glasear en 2 cucharadas de mantequilla 3 cebollas picadas muy finas sin que se tuesten. Mezclarlas con la salsa y sazonar con sal, pimienta y una pizca de azúcar. Para gratinados de verdura, huevos escalfados, etc.

Salsa Mornay

Mezclar en la salsa 2 yemas de huevo y 100 g de queso Gruyere recién rallado. Remover a fuego lento hasta que se funda el queso. Sazonar con pimienta. Para rellenar crepes, gratinados y como base de budines.

Salsa holandesa

La salsa clásica para espárragos y pescado cocido.

Ingredientes para 4 personas:

200 g de mantequilla

3 yemas de huevo

Sal

Pimienta blanca recién molida

Zumo de limón

Elaborada

Por persona unos:
1 800 kj/430 kcal
3 g de proteínas · 45 g de grasas · 0 g de hidratos de carbono

- Tiempo de preparación: 15 minutos

1. Derretir la mantequilla en un cazo pequeño a fuego lento, retirar del fuego y quitar la espuma formada.
2. En un recipiente de metal desleír las yemas en 1 cucharada de agua y ponerlo al baño maría. El agua debe hervir muy suavemente.
3. Añadir la mantequilla gota a gota y luego a chorro fino removiendo continuamente hasta obtener una salsa espesa.
4. Sazonar con sal, pimienta y zumo de limón.

Sugerencia

Si la masa se cortase batirla de nuevo añadiendo unas gotas de agua fría.

Variante
Salsa muselina

Preparar la salsa holandesa con 150 g de mantequilla y 2 yemas de huevo. Montar 200 g de nata y añadirla con mucho cuidado. Sazonar con zumo de limón, 1 pizca de pimienta Cayena. Exquisita para verdura al vapor o carne de ave.

Salsa anisée

Preparar la sala holandesa sin zumo de limón. Añadir 2 cl de aguardiente de anís y las hojas verdes de 1-2 bulbos de hinojo bien picadas. Exquisita para pescado a la parrilla.

Foto superior: Salsa bechamel.
Foto inferior: Salsa holandesa.

Salsa al vino blanco

Se sirve con carne de ave cocida, pescado y verdura al vapor. Según su utilización pueden añadirse unas finas hierbas frescas.

Ingredientes para 4 personas:
2 chalotas
1 cucharada de mantequilla
3/8 l de Riesling (o cualquier otro vino blanco seco)
125 g de mantequilla muy fría
Sal
Pimienta blanca recién molida
1 pizca de pimienta de Cayena
Un poco de zumo de limón

Refinada

Por persona unos:
1 400 kj/330 kcal
1 g de proteínas · 29 g de grasas · 4 g de hidratos de carbono

- Tiempo de preparación: 25 minutos

1. Pelar las chalotas y picarlas muy finas. Calentar la mantequilla en un cazo y glasearlas hasta que estén tiernas.
2. Agregar el vino y cocer a fuego medio hasta que el

líquido quede reducido un tercio.
3. Añadir la mantequilla troceada y batir fuertemente con las varillas. No volver a cocer.
4. Sazonar con la salsa con sal, pimienta, pimienta Cayena y zumo de limón.

Salsa bearnesa

La clásica para bistecs. Puede servirse también con verduras, como espárragos, patatas al vapor o con pescado (ideal para truchas asalmonadas).

Ingredientes para 4 personas:
4 cucharadas de vino blanco seco
4 cucharadas de vinagre de estragón
2 ramitas de estragón fresco
2 ramitas de perifollo fresco
3 yemas de huevo, 2 chalotas
200 g de mantequilla muy fría
Pimienta Cayena, sal
Pimienta blanca recién molida

Para invitados

Por persona unos:
1 900 kj/450 kcal
3 g de proteínas · 46 g de grasas · 2 g de hidratos de carbono

- Tiempo de preparación: 40 minutos

1. Hervir en una cazuela el vino blanco y el vinagre. Pelar y picar finamente las chalotas. Lavar las hierbas,

sacudirlas para que se sequen y picarlas muy finas. Añadir a la cazuela las chalotas y los rabillos de las hierbas y dejar que el líquido se reduzca un poco.
2. Tamizar a un recipiente de metal y añadir las yemas batiendo. Ponerlo al baño maría y calentar muy despacio.
Añadir la mantequilla poco a poco en trocitos y remover hasta que la salsa esté cremosa sin que vuelva a cocer porque se cortaría.
3. Añadir las hierbas picadas y sazonar con sal, pimienta Cayena y pimienta blanca.

Variantes:
Salsa Chorón

Pelar un tomate grande, quitarle las semillas y cortarlo en dados finísimos. Mezclar 1 cucharada de tomate concentrado a la salsa bearnesa y luego añadir los trocitos de tomate. Se sirve con espaldilla de lechazo, pescados o huevos escalfados.

Salsa al estilo de Pau

Preparar la salsa bearnesa con perifollo pero sin estragón, y en su lugar añadir 1 ramillete de menta fresca cortado en tiras finísimas. Muy buena para cualquier plato de lechazo.

En primer plano: Salsa al vino blanco. En segundo plano: Salsa bearnesa.

Salsa de acederas

Para huevos escalfados, salmón a la parrilla o carne cocida.

Ingredientes para 4 personas:

150 g de acederas

Sal, 1/4 de leche

1 cucharada de mantequilla

1 cucharadita de harina

Pimienta blanca recién molida

1 pizca de nuez moscada recién rallada

1 pizca de azúcar, 150 g de nata

Refinada

Por persona:
5 g de proteínas · 21 g de grasas · 8 g de hidratos de carbono

- Tiempo de preparación: 30 minutos

1. Lavar las acederas y blanquearlas ligeramente en agua hirviendo con sal. Pasarlas por agua helada, escurrirlas y hacer con ellas un puré en la mezcladora.
2. Calentar la mantequilla en una cazuela, añadir la harina y rehogarla. Agregar la leche, y sin dejar de remover cocer hasta que esté cremosa. Sazonar con sal, pimienta, nuez moscada y azúcar.
3. Mezclar con el puré de acederas y añadir la nata montada de antemano. Rectificar de sal si es necesario.

Salsa agridulce de agavanzas

Se sirve con hígado de ternera, venado y aves.

Ingredientes para 4 personas:

1 cebolla pequeña

1 cucharada de mantequilla

5 cucharadas de compota de agavanzas

1/4 l de caldo de carne

Pimienta negra recién molida, sal

2 cucharadas de vinagre de vino

Rápida

Por persona:
270 kj/65 kcal
0 g de proteínas · 3 g de grasas · 8 g de hidratos de carbono

- Tiempo de preparación: 15 minutos

1. Pelar la cebolla y picarla muy fina. Glasearla en la mantequilla.
2. Añadir la compota de agavanza y el caldo y dejar cocer unos minutos hasta reducir la salsa.
3. Sazonar con sal, pimienta y vinagre.

Sugerencia

Si no le agrada encontrar trozos de cebolla en la salsa puede hacerla puré.

Salsa de cebolla a la crema

Muy fina para pescados (por ejemplo, filetes de gallo), pero también para medallones de ternera o cerdo.

Ingredientes para 4 personas:

250 g de cebollas

2 cucharadas de mantequilla

1/4 l de caldo o fondo

Sal, 150 g de crema fresca

Pimienta blanca recién molida

Nuez moscada recién rallada

Fácil

Por persona:
930 kj/220 kcal
2 g de proteínas · 21 g de grasas · 6 g de hidratos de carbono

- Tiempo de preparación: 30 minutos

1. Pelar las cebollas, picarlas muy finas y glasearlas en la mantequilla caliente. Agregar el caldo, tapar la cazuela y dejar que repose.
2. Moler la cebollas hasta obtener un puré, añadir la crema fresca y dejar cocer 5 minutos muy lentamente. Sazonar con sal, pimienta y nuez moscada.

En primer plano: Salsa agridulce de agavanzas. En segundo plano: Salsa de cebolla a la crema. Al fondo: Salsa de acederas.

Salsa de pimientos rojos

Caliente o fría, excelente para servir con carne a la parrilla, salchichas, chuletas o carpas al vapor.

Ingredientes para 4-6 personas:

2 cucharadas de aceite de oliva

3 pimientos rojos (unos 400 g)

Sal, 2 cebollas

Pimienta negra recién molida

1 pizca de pimienta Cayena

Fácil

Para 6 personas cada porción: 200 kj/50 kcal 2 g de proteínas · 3 g de grasas · 4 g de hidratos de carbono

- Tiempo de preparación: 25 minutos

1. Pelar las cebollas y picarlas muy finas. Calentar el aceite y glasearlas hasta que estén tiernas.
2. Cortar los pimientos en cuartos, quitar las semillas y lavarlos bien. Trocearlos, añadirlos a las cebollas y dejar que se hagan.
3. Moler todo hasta obtener un puré y sazonar con sal, pimienta y pimienta Cayena.

Variante:

Añadir a la salsa 4 cucharadas de alcaparras y dejar dar un hervor.

Salsa de brécoles

Para carne cocida o hamburguesas de cereales.

Ingredientes para 4 personas:

Sal, 400 g de brécoles

2 cucharadas de crema fresca

Pimienta negra recién molida

Zumo de limón

1 cucharada de rábano picante recién rallado

Exquisita

Por persona: 220 kj/50 kcal 4 g de proteínas · 3 g de grasas · 2 g de hidratos de carbono

- Tiempo de preparación: 40 minutos

1. Calentar 1/4 l de agua de sal. Limpiar la verdura, picarla (pelar antes los tallos) y cocer 15 minutos a fuego lento hasta que esté tierna.
2. Añadir la crema fresca y sazonar con sal, pimienta y zumo de limón.
3. Hacer con todo un puré y espolvorearlo con el rábano picante. Dejar que dé un hervor y rectificar el condimento si es necesario.

Sugerencia

Al cocer el brécol puede reservar un poco para decorar la salsa.

Salsa de bacon

Se sirve con filetes de carne picada, salchichas fritas y pastel de patata.

Ingredientes para 4 personas:

150 g de bacon en lonchas

1 cucharadita de mantequilla

250 g de cebollas

2 cucharaditas de comino en grano

Pimienta negra recién molida

3/8 l de caldo de carne (o fondo de carne)

Fácil

Por persona: 1200 kj/290 kcal 5 g de proteínas · 28 g de grasas · 4 g de hidratos de carbono

- Tiempo de preparación: 30 minutos

1. Cortar el bacon en trocitos. Calentar la mantequilla en una sartén y freírlo lentamente.
2. Pelar las cebollas, picarlas, añadirlas al bacon y glasearlas.
3. Espolvorear con el comino y la pimienta y regar con el caldo. Cocer 10 minutos a fuego lento y rectificar de sal si es necesario.

En primer plano: Salsa de bacon. En segundo plano: Salsa de brécoles. Al fondo: Salsa de pimientos rojos.

Salsa de boletos

Para carne frita o salteada y tortitas de mijo.

Ingredientes para 4 personas:

50 g de boletos secos

3/8 l de agua

4 cebollas pequeñas

2 cucharadas de mantequilla

3 cucharadas de crema fresca

Sal, 1 ramillete de cebollino

Pimienta negra recién molida

Nuez moscada recién rallada

Refinada

Por persona:
4 g de proteínas · 11 g de grasas · 11 g de hidratos de carbono

● Tiempo de preparación: unos 45 minutos (30 minutos para remojo)

1. Escaldar las setas con agua hirviendo, taparlas y dejar reposar 30 minutos.

2. Pelar y picar las cebollas. Calentar la mantequilla y glasearlas hasta que estén tiernas removiendo de vez en cuando.

3. Escurrir las setas reservando el agua. Colarla y añadirla a las cebollas. Picar las setas y añadirlas también. Agregar la crema fresca y remover todo bien. Sazonar con sal, pimienta y un poco de nuez moscada y cocer a fuego lento 10 minutos.

4. Lavar el cebollino, cortarlo en trocitos y añadirlo a las setas.

Salsa de colmenillas a la crema

Adecuada especialmente para servir con un jugoso filete de solomillo. Las colmenillas son unas de las setas comestibles más valiosas. Se cosechan desde finales de marzo hasta mediados de mayo (según la temperatura) en Turquía, Italia, Francia y Suiza. Las hay también en conserva o secas. En estas últimas el aroma es más intenso.

Ingredientes para 4 personas:

25 g de colmenillas secas

1 cucharada de mantequilla

4 cl de whisky irlandés

Sal, 200 g de crema fresca

Pimienta blanca recién molida

Refinada

Por persona:
1 000 kj/240 kcal
2 g de proteínas · 23 g de grasas · 3 g de hidratos de carbono

- Tiempo de preparación: unos 45 minutos (30 minutos para el remojo)

1. Poner las setas en una fuente honda y escaldarlas con 1/4 l de agua hirviendo. Dejar reposar 30 minutos.

2. Colar el agua de remojo con un filtro de café para quitar los restos de arena que están pegados a las setas. Reservarla.

3. Lavar bien las setas, las pequeñas dejarlas enteras y cortar a la mitad las grandes. Calentar la mantequilla, rehogar las setas a fuego fuerte, añadir el agua del remojo y cocer hasta que se haya reducido un tercio.

4. Agregar el whisky y la crema fresca y cocer la salsa hasta que esté cremosa. Salpimentar al gusto.

Salsa de curry y almendras

Para pechugas de pollo o gallina, solomillo de ternera o fritos de pescado.

Ingredientes para 4 personas:

1 cucharada de manteca derretida

100 g de almendras peladas

2 cucharadas de pasas

2 cucharadita de curry en polvo

Sal, 1 pizca de comino molido

Pimienta blanca recién molida

1/8 l de vino blanco, 4 chalotas

150 g de crema fresca

Zumo de limón, 1/4 l de caldo

Para invitados

Por persona:
1 600 kj/380 kcal
6 g de proteínas · 32 g de grasas · 10 g de hidratos de carbono

- Tiempo de preparación: 15 minutos

1. Pelar las chalotas y picarlas muy finas. Calentar la mantequilla y glasearlas hasta que estén tiernas.
2. Añadir las almendras y las pasas y también el curry. Remover bien y sazonar con sal, pimienta y comino.
3. Regar con el vino blanco y el caldo. Incorporar la crema fresca y mezclar todo bien. Dejar cocer 5 minutos a fuego muy suave hasta que la salsa esté cremosa. Finalmente añadir el zumo de limón.

Salsa a la espuma de cerveza

Esta salsa es adecuada para pescado de agua dulce hecho al vapor, y también para carne frita o salchichas. Muy buena para verdura.

Ingredientes para 4-6 personas:

Sal, 4 yemas de huevo

3/8 l de cerveza negra

Pimienta negra recién molida

Pimienta Cayena, zumo de limón

Refinada

Para 6 personas cada porción:
350 kj/90 kcal
3 g de proteínas · 4 g de grasas · 0 g de hidratos de carbono

- Tiempo de preparación: 10 minutos

1. Remover las yemas con un poco de sal y luego batirlas hasta obtener una masa espumosa.
2. Verterla en un recipiente, de porcelana, y ponerlo al baño maría. Añadir la cerveza sin dejar de remover hasta obtener una salsa dorada y cremosa. El baño maría debe estar siempre sin llegar a hervir, de lo contrario las yemas se cortarían.
3. Sazonar la salsa con sal, pimienta, una pizca de pimienta Cayena y un poco de zumo de limón.

Salsa de perejil

Ideal para pescado, y también para verdura y carne.

Ingredientes para 4 personas:

2 cucharadas de mantequilla

200 g de raíz de perejil

3 ramiletes de perejil

1/4 l de caldo, 125 g de nata

Sal, 3 chalotas

Pimienta blanca recién molida

Una chispa de vino blanco seco

Fácil

Por persona:
750 kj/180 kcal
3 g de proteínas · 16 g de grasas · 5 g de hidratos de carbono

- Tiempo de preparación: 20 minutos

1. Pelar las chalotas y picarlas muy finas. Calentar la mantequilla en una cazuela y glasearlas.
2. Limpiar la raíz de perejil y trocearla. Rehogarla con las chalotas y añadir después las hojitas de perejil y el caldo.
3. Agregar la nata y dejar cocer suavemente. Hacer un puré y cocer hasta que se reduzca. Sazonar con sal, pimienta y vino blanco.

En primer plano: Salsa de perejil. En segundo plano: Salsa a la espuma de cerveza. Al fondo: Salsa de curry y almendras.

Salsa de cebolla y manzana

Muy buena para acompañar hígado frito o salchichas fritas.

Ingredientes para 4 personas:

3 manzanas dulces medianas

200 g de cebollas

2 cucharadas de mantequilla

Sal, 1/4 l de caldo de carne

Pimienta negra recién molida

1/2 cucharadita de mejorana

125 g de nata

Refinada

Por persona:
950 kj/230 kcal
2 g de proteínas · 17 g de grasas · 17 g de hidratos de carbono

* Tiempo de preparación: 45 minutos

1. Pelar las manzanas, cortarlas en cuartos, retirar las semillas y cortarlas en lonchas finas.
Pelar las cebollas y picarlas finas.
2. Calentar la mantequilla y rehogar las cebollas y las manzanas. Sazonar con sal, pimienta y mejorana. Regar con la nata y el caldo y cocer tapado 15 minutos a fuego muy suave.
3. Moler con la batidora, cocer y condimentar de nuevo antes de servir.

Salsa de eneldo

Para carne, lengua o pescado al vapor.

Ingredientes para 4 personas:

1 cucharada de mantequilla

1 cucharadita de harina

1/4 l de leche, 200 g de nata

1 hoja de laurel, 1 cebolla

Pimienta blanca recién molida

2 ramilletes de eneldo, sal

Salsa Worcester, zumo de limón

Fácil

Por persona:
980 kj/245 kcal
4 g de proteínas · 21 g de grasas · 7 g de hidratos de carbono

* Tiempo de preparación: 30 minutos

1. Pelar la cebolla y picarla fina. Calentar la mantequilla y glasearla hasta que esté tierna.
2. Espolvorear con harina y dorarla removiendo. Añadir la leche y la nata. Salpimentar y añadir el laurel.
3. Sin dejar de remover cocer la salsa suavemente durante 20 minutos.
4. Lavar el eneldo, secarlo y picarlo. Pasar la salsa por un tamiz fino y agregar el eneldo. Sazonar con sal, pimienta, unas gotas de salsa Worcester y zumo de limón.

Salsa de grosellas negras

Excelente para caza, aves silvestres y carne de novillo cocida.

Ingredientes para 4 personas:

1 cucharada de mantequilla

4 cl de licor de grosella negra

3/8 l de jarabe de grosella negra

125 g de mantequilla muy fría

2 cucharadas de zumo de limón

Sal, 2 chalotas

Pimienta negra recién molida

Refinada

Por persona:
1 400 kj/330 kcal
1 g de proteínas · 29 g de grasas · 17 g de hidratos de carbono

* Tiempo de preparación: 20 minutos.

1. Pelar y picar las chalotas. Calentar la mantequilla y rehogarlas.
2. Agregar el licor y el jarabe y cocer a fuego medio hasta que se reduzca a la mitad. Retirar del fuego.
3. Cortar la mantequilla en copos y batirlos en la salsa hasta que espese. Sazonar con zumo de limón, sal y pimienta.

Fotos superior: Salsa de eneldo (izquierda) y Salsa de cebolla y manzana (derecha).
Foto inferior: Salsa de grosellas negras.

Salsa de azafrán

Especialmente fina para pescado, ave o carne de ternera.

Ingredientes para 4 personas:
1 cucharada de mantequilla
1 sobre de azafrán, 2 chalotas
1/8 l de vino blanco seco
1/4 l de fondo claro de ternera
Sal, 200 g de nata
Pimienta blanca recién molida
Zumo de limón

Refinada

Por persona:
920 kj/220 kcal
2 g de proteínas · 19 g de grasas · 4 g de hidratos de carbono

- Tiempo de preparación: 25 minutos

1. Pelar las chalotas y picarlas muy finas.
2. Derretir la mantequilla y glasearlas a fuego medio hasta que estén tiernas. Espolvorearlas con azafrán.
3. Agregar el vino, remover bien y cocer a fuego medio hasta que se reduzca a la mitad. Añadir el fondo de ternera y la mitad de la nata y cocer destapado 2 minutos. Sazonar con sal, pimienta y agregar el zumo de limón.
4. Montar el resto de la nata y añadirla a la salsa mezclándola bien.

Mousse de jerez

Para pescado cocido, carne de gallina, bistecs y verdura.

Ingredientes para 4 personas:
Sal, 3 yemas de huevo
1/8 l de jerez seco (fino)
1/4 l de caldo o fondo de carne
Pimienta blanca recién molida
Zumo de limón

Especialidad

Por persona:
420 kj/100 kcal
2 g de proteínas · 5 g de grasas · 5 g de hidratos de carbono

- Tiempo de preparación: 10 minutos

1. Remover las yemas y una pizca de sal en una fuente honda de metal y luego batirlas con las varillas.
2. Ponerlo al baño maría y añadir el jerez y el caldo poco a poco sin dejar de remover. Seguir removiendo hasta obtener una salsa cremosa.
3. Sazonar con sal, pimienta y zumo de limón.

Mousse de berros

Para salmón al vapor, hígado de ternera, mollejas de ternera y también para albóndigas.

Ingredientes para 4 personas:
1 cucharada de mantequilla
200 g de berros, 2 chalotas
Sal, 150 g de crema fresca
Pimienta blanca recién molida
Zumo de limón, 1/8 de caldo

Refinada

Por persona:
740 kj/180 kcal
1 g de proteínas · 18 g de grasas · 2 g de hidratos de carbono

- Tiempo de preparación: 20 minutos

1. Pelar las chalotas y picarlas muy finas. Calentar la mantequilla y glasearlas hasta que estén tiernas.
2. Lavar los berros, cortarlos y rehogarlos ligeramente. Añadir el caldo y la crema fresca, dar un hervor y picarlos en la mezcladora hasta obtener un puré fino.
3. Calentar de nuevo la salsa y sazonar con sal, pimienta y zumo de limón.

En primer plano: Salsa de azafrán. En segundo plano: Mousse de jerez. Al fondo: Mousse de berros.

Salsa de aceitunas

También es buena con carne y puede servirse fría o caliente.

Ingredientes para 4 personas:
2 dientes de ajo
2 tomates carnosos (unos 400 g)
150 g de aceitunas sin hueso
1 cucharada de aceite de oliva
2 cucharaditas de harina
1/8 l de vino blanco seco
1/8 l de caldo de carne (o fondo)
Sal, 1 ramillete de perejil
Pimienta negra recién molida
1 pizca de pimienta Cayena

Fácil

Por persona unos:
430 kj/100 kcal
2 g de proteínas · 5 g de grasas · 6 g de hidratos de carbono

- Tiempo de preparación: 25 minutos

1. Pelar y picar los ajos. Escaldar los tomates, pelarlos, y picarlos. Picar también las aceitunas.
2. Calentar el aceite y rehogar el ajo, espolvorear con harina y dorarla ligeramente. Agregar el vino y el caldo, las aceitunas y los tomates dejando que cueza 8 minutos a fuego muy suave.
3. Lavar y secar el perejil. Picar las hojas y añadirlas a la salsa. Sazonar con sal, pimienta y pimienta Cayena.

Salsa de guisantes y salami

Si se le añade la cantidad correspondiente de caldo puede ser un primer plato

Ingredientes para 4 personas:
1 cebolla
1 cucharada de mantequilla
1/4 l escaso de caldo de carne
500 g de guisantes congelados
150 g de crema fresca, sal
Pimienta blanca recién molida
Nuez moscada recién rallada
150 g de salami en un trozo

Fácil

Por persona:
1 900 kj/430 kcal
15 g de proteínas · 38 g de grasas · 16 g de hidratos de carbono

- Tiempo de preparación: 30 minutos

1. Pelar y picar la cebolla. Calentar la mantequilla y glasear la cebolla hasta que esté tierna. Añadir el caldo y los guisantes y cocer 15 minutos a fuego muy suave.
2. Hacer un puré con los guisantes, añadir la crema fresca y sazonar con sal, pimienta y nuez moscada.
3. Cortar el salami en dados y añadirlos a la salsa. Calentarla a fuego lento.

Salsa de salvia al Parmesano

Ingredientes para 4 personas:
2 cucharadas de mantequilla
1 puñado de hojas de salvia fresca
1/4 l de caldo de verdura
150 g de Mascarpone
80 g de queso Parmesano recién rallado

Rápida

Por persona:
1 100 kj/260 kcal
11 g de proteínas · 23 g de grasas · 0 g de hidratos de carbono

- Tiempo de preparación: 10 minutos

1. Calentar la mantequilla en una cazuela y rehogar la salvia lavada y seca.
2. Agregar el caldo, el Mascarpone y el Parmesano, remover bien y cocer hasta que se funda el queso.

Variante:

Puede añadirse además 200 g de jamón cocido cortado en dados.

En primer plano: Salsa de guisantes y salami. En segundo plano: Salsa de aceitunas. Al fondo: Salsa de salvia al Parmesano.

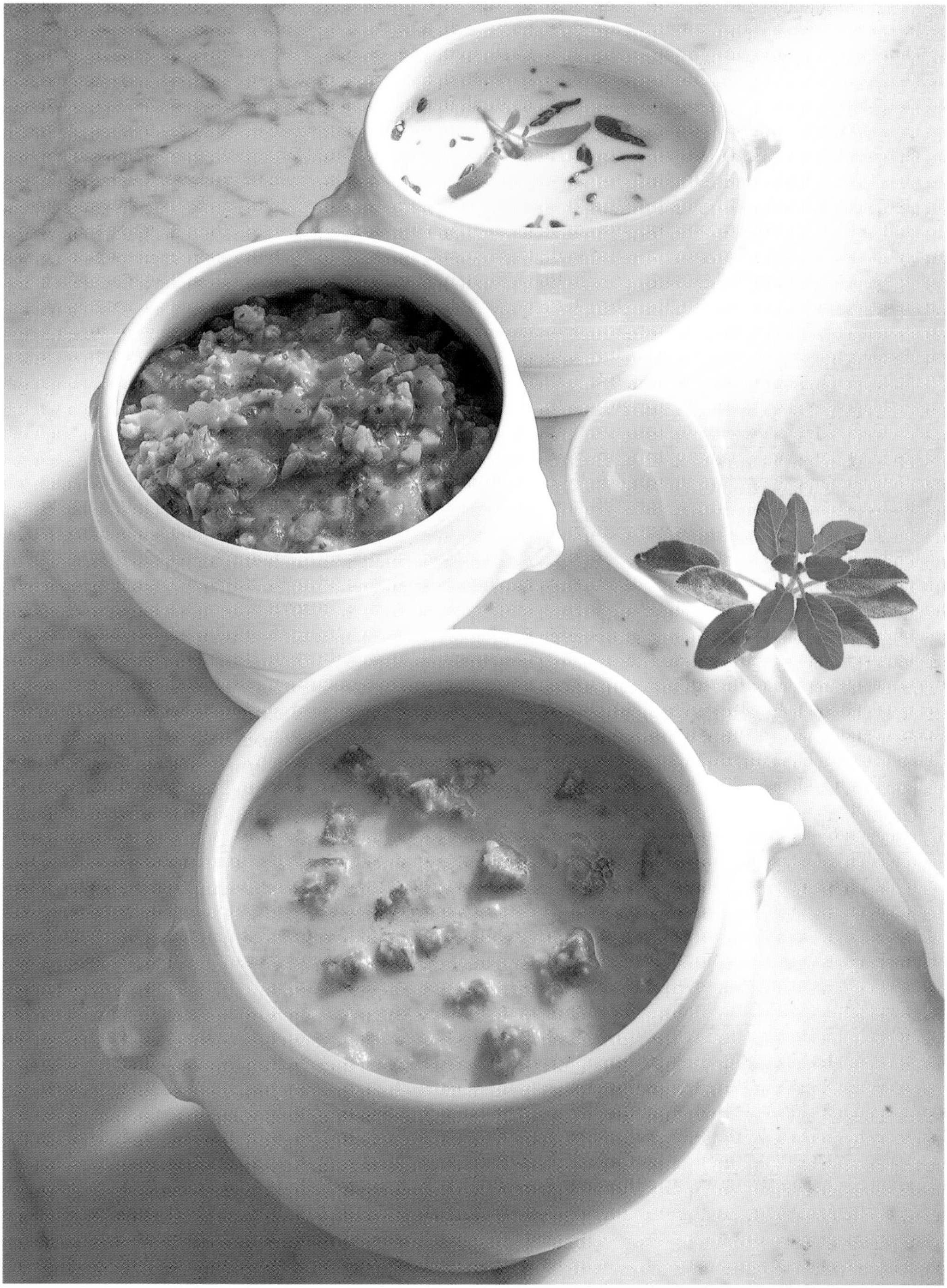

Salsa de tomate

Ingredientes para 4 personas:

1 zanahoria, 1 tallo de apio

2 dientes de ajo, 1 cebolla

1 cucharada de aceite de oliva

1 kg de tomates carnosos

1 cucharadita de orégano

Sal, 1 hoja de laurel

Pimienta negra recién molida

Elaborada

Por persona unos:
330 kj/80 kcal
4 g de proteínas · 3 g de grasas
· 10 g de hidratos de carbono

● Tiempo de preparación:
  1 1/4 horas

1. Pelar la zanahoria y rallarla gruesa.
Lavar el apio, secarlo y cortarlo en trocitos o lonchas finas. Pelar la cebolla y los ajos y picarlos.

2. Calentar el aceite en una cazuela y rehogar las verduras 15 minutos sin dejar de remover.

3. Escaldar los tomates, pelarlos, quitar las semillas y picarlos. Añadirlos a la cazuela con el laurel y el orégano. Salpimentar y cocer tapado 45 minutos a fuego muy suave.

4. Finalmente retirar el laurel y rectificar de sal y pimienta.

Salsa boloñesa

Ingredientes para 4 personas:

25 g de boletos secos

1 cebolla grande

100 g de bacon en lonchas

2 puerros pequeños

250 g de carne picada (novillo y cerdo a partes iguales)

500 g de tomates carnosos

1 ramita de tomillo picada

1 cucharadita de orégano

Sal, 1/4 l de vino tinto seco

Pimienta negra recién molida

**Elaborada
Especialidad italiana**

Por persona:
1 800 kj/430 kcal
18 g de proteínas · 29 g de grasas · 10 g de hidratos de carbono

● Tiempo de preparación:
1 1/2 horas (30 minutos para remojo)

1. Escaldar las setas con 1/4 l de agua hirviendo y dejar 30 minutos en remojo. Luego sacarlas del agua y picarlas gruesas. Colar el agua de remojo con un filtro de café y reservarla.

2. Pelar la cebolla y picarla muy fina. Cortar el bacon en trocitos muy pequeños. Rehogar la cebolla y el bacon unos 5 minutos y añadir los puerros previamente limpios y cortados en aros finos.

3. Incorporar la carne picada y sofreírla hasta que se dore ligeramente. Debe quedar suelta.

4. Escaldar los tomates, pelarlos y picarlos. Añadirlos a la carne junto con el vino tinto. Añadir las setas y el agua de remojo. Sazonar con tomillo, orégano, sal y pimienta y cocer tapado 45 minutos a fuego lento. Antes de servirla rectificar de sal y pimienta.

Salsa de jamón y puerro

Ingredientes para 4 personas:

2 puerros (150 g)

1 cucharada de mantequilla

200 g de jamón cocido

100 g de queso fresco

Sal, 1/4 l de caldo de carne

Pimienta blanca recién molida

1 cucharadita de orégano

1 cucharadita de vinagre

Fácil

Por persona:
780 kj/190 kcal
13 g de proteínas · 14 g de grasas · 3 g de hidratos de carbono

- Tiempo de preparación: 30 minutos

1. Limpiar el puerro, lavarlo y cortarlo en aros. Reservar un tercio de la parte verde. El resto rehogarlo en la mantequilla.
2. Quitarle el borde de grasa al jamón, picarlo y añadirlo a los puerros.
3. Incorporar el queso y el caldo y remover todo bien. Cocer hasta que se deshaga el queso.
4. Moler la salsa, calentar y sazonar con sal, pimienta, orégano y unas gotas de vinagre. Adornar con los aros verdes.

Salsa de setas al Gorgonzola

Ingredientes para 4 personas:

300 g de setas (orellanas)

1 cucharada de mantequilla

Sal, 250 g de nata

Pimienta blanca recién molida

100 cc de caldo de carne

250 g de Gorgonzola

Refinada

Por persona:
2 000 kj/480 kcal
15 g de proteínas · 43 g de grasas · 3 g de hidratos de carbono

- Tiempo de preparación: 20 minutos

1. Lavar las setas y cortarlas en tiras finas. Calentar la mantequilla en un cazo, rehogarlas y salpimentar.
2. Agregar la nata y el caldo y dejar cocer suavemente.
3. Cortar en trocitos el queso Gorgonzola y aplastarlos. Añadir a la salsa y cocer hasta que espese. Remover de vez en cuando.
4. Rectificar de sal y pimienta.

Salsa de picadillo de cerdo

Ingredientes para 4 personas:

400 g de picadillo de salchichas frescas de cerdo

1 cucharada de aceite, 1 cebolla

3 cucharadas de salsa de tomate

200 cc de vino tinto seco, sal

1 cucharadita de anís en grano

1 cucharadita de cilantro en grano

Pimienta negra recién molida

1 ramillete de cebollino picado

Refinada

Por persona:
1 700 kj/400 kcal
13 g de proteínas · 34 g de grasas · 2 g de hidratos de carbono

- Tiempo de preparación: 35 minutos

1. Sacar la carne de las salchichas, calentar el aceite y sofreír la carne. Picar la cebolla y freírla conjuntamente unos minutos. Añadir el tomate y dejar que cueza todo unos minutos.
2. Agregar el vino, el comino y el cilantro, molidos, y cocer 10 minutos a fuego suave. Salpimentar y adornar con el cebollino.

En primer plano: Salsa de jamón y puerros. En segundo plano: Salsa de setas al Gorgonzola. Al fondo: Salsa de picadillo de cerdo

Salsa de almejas

Ingredientes para 4 personas:

800 g de almejas frescas

2 cucharadas de aceite de oliva

1 zanahoria mediana, 2 chalotas

Sal, 2 tallos de apio

Pimienta blanca recién molida

Zumo de 1 limón, 2 dientes de ajo

1/4 l de fondo de pescado

1 ramillete de perejil recién picado

Refinada

Por personas:
450 kj/110 kcal
10 g de proteínas · 6 g de grasas · 4 g de hidratos de carbono

• Tiempo de preparación:
30-40 minutos

1. Lavar las almejas bajo el chorro de agua y desechar las que estén en mal estado. Ponerlas en una cazuela con un poco de agua y hervir unos 5 minutos. Sacarlas y quitarles las cáscara (tirar las cerradas).
2. Pelar las chalotas y picarlas. Calentar el aceite en una sartén grande y glasearlas hasta que estén tiernas.
Prensar el ajo sobre ellas.
3. Pelar la zanahoria, rallarla y añadirla a las chalotas dejando que se haga 3 minutos más. Lavar el apio y cortarlo en lonchas. Añadirlo a la sartén, salpimentar y agregar el zumo de limón y el fondo de pescado. Cocer 5 minutos.
4. Incorporar las almejas a la salsa, rectificar de sal y volver a calentar. Servir espolvoreada con perejil.

Salsa de perifollo con camarones

Ingredientes para 4 personas:

1 cucharada de mantequilla

1 puñado de perifollo, 4 chalotas

100 g de camarones cocidos sin cáscara

Pimienta blanca recién molida

Zumo de limón, 375 g de nata

Salsa Worcester, sal

Refinada

Por persona:
1 500 kj/360 kcal
8 g de proteínas · 33 g de grasas · 6 g de hidratos de carbono

• Tiempo de preparación:
25 minutos

1. Pelar y picar las chalotas. Calentar la mantequilla y glasearlas hasta que estén tiernas. Añadir la nata y cocer 15 minutos a fuego suave.
2. Limpiar el perifollo quitando los rabillos. Lavar y escurrir las hojas.
3. Calentar los camarones en la salsa y sazonar con sal, pimienta zumo, de limón y salsa Worcester. Servir salpicada de perifollo.

Salsa de salmón

Ingredientes para 4 personas:

2 chalotas, 375 g de nata

1 cucharada de mantequilla

Pimienta blanca recién molida

Zumo de limón, sal

400 g de salmón fresco en filetes

1 puñado de hojas de perifollo

Refinada

Por persona:
2 200 kj/520 kcal
22 g de proteínas · 46 g de grasas · 5 g de hidratos de carbono

• Tiempo de preparación:
25 minutos

1. Pelar y picar las chalotas. Calentar la mantequilla y glasearlas hasta que estén tiernas.
2. Regar con la nata y dejar que cueza hasta que se reduzca a un tercio. Sazonar con sal, pimienta y zumo de limón.
3. Quitar la piel al salmón y cortarlo en dados. Rociarlo con zumo de limón y salar. Lavar el perifollo, y añadirlo a la salsa con el salmón.

En primer plano: Salsa de perifollo con camarones. En segundo plano: Salsa de almejas. Al fondo: Salsa de salmón.

Salsa de Rucola

Puede servirse también con carne, pescado, pastas o patatas cocidas; fría o caliente.

Ingredientes para 4 personas:
Sal, 200 g de Rucola
1 cucharada de mantequilla
1 diente de ajo, 1 cebolla
1/4 l de caldo de verdura
5 cucharadas de crema fresca
3 cucharadas de sésamo tostado
Pimienta negra recién molida
Nuez moscada recién rallada

Exquisita

Por persona:
740 kj/180 kcal
4 g de proteínas · 16 g de grasas · 3 g de hidratos de carbono

- Tiempo de preparación: 25 minutos

1. Hervir agua con sal. Lavar la rucola y blanquearla 1 minuto en agua hirviendo. Pasarla por agua fría y escurrirla bien.
2. Pelar la cebolla y picarla. Calentar la mantequilla y glasear la cebolla hasta que esté tierna. Añadir el ajo prensado.
3. Añadir la rucola y rehogarla. Regar con el caldo de verdura. Moler todo haciendo un puré y sazonar con sal, pimienta y nuez moscada.

Salsa de aceitunas negras y ajo

Ingredientes para 4 personas:
1 cucharada de aceite de oliva
200 g de aceitunas negras
Sal, 3 dientes de ajo
Pimienta negra recién molida
1 cucharadita de tomillo fresco
Zumo de limón

Fácil

Por persona:
810 kj/190 kcal
1 g de proteínas · 20 g de grasas · 3 g de hidratos de carbono

- Tiempo de preparación: 1 1/4 horas (1 hora de enfriado)

1. Calentar el aceite en una cazuela, dorar los ajos prensados.
2. Picar las aceitunas en forma gruesa y añadirlas. Calentarlas y luego picarlas con la batidora eléctrica.
3. Sazonar la salsa con sal, pimienta, tomillo y zumo de limón. Enfriar.

Sugerencia

Esta salsa puede conservarse hasta 4 semanas metida en tarro de cristal y cubierta con una capa de aceite.

Salsa de queso al brandy

Una salsa fría que puede servirse también con carne a la parrilla o con patatas asadas.

Ingredientes para 4 personas:
200 g de queso fresco de oveja
3 cucharadas de brandy o jerez
Sal, 100 g de nata
Pimienta blanca recién molida
Pimienta Cayena
1 ramillete de perejil

Refinada

Por persona:
940 kj/220 kcal
8 g de proteínas · 19 g de grasas · 1 g de hidratos de carbono

- Tiempo de preparación: 10 minutos

1. Aplastar el queso, mezclarlo con la nata y el brandy y remover hasta que quede suave.
2. Sazonar con sal, pimienta y un poco de pimienta Cayena.
3. Lavar y secar el perejil, picarlo muy fino y añadirlo a la salsa al tiempo de servirla.

En primer plano: Salsa de queso al brandy. En segundo plano: Salsa de aceitunas negras y ajo. Al fondo: Salsa de rucola

Salsa de mango a la mostaza

Esta salsa, de sabor fresco y afrutado es excelente también para platos fríos: platos de ave o asados.

Ingredientes para 4-6 personas:

2/3 l de vino blanco

3 cucharadas de mostaza dulce

Sal, 2 mangos pequeños maduros

Pimienta negra recién molida

1 pizca de pimienta Cayena

Refinada

Para 6 personas, cada porción: 380 kj/90 kcal
1 g de proteínas · 1 g de grasas · 15 g de hidratos de carbono

- Tiempo de preparación: 30 minutos

1. Pelar los mangos, quitar el hueso y cortarlos en trocitos. Ponerlos en una cazuela con el vino y dejar a fuego lento unos 10 minutos.
2. Enfriar y molerlo en la hasta obtener un puré fino.
3. Añadir la mostaza al puré de mango y sazonar con sal, pimienta y pimienta Cayena.

Sugerencia

Si desea servir esta salsa, junto con otras, para un fondue, sólo debe poner la mitad de los ingredientes.

Salsa de alubias blancas

Ingredientes para 4 personas:

250 g de alubias blancas cocidas

2 cucharadas de aceite de oliva

1 tomate grande carnoso

Sal, 3 dientes de ajo

Pimienta blanca recién molida

Pimienta Cayena, tabasco

2 ramitas de perejil

Rápida

Por persona:
700 kj/170 kcal
10 g de proteínas · 5 g de grasas · 21 g de hidratos de carbono

- Tiempo de preparación: 15 minutos

1. Escurrir bien las alubias.
2. Calentar el aceite en una sartén, añadir los ajos prensados y dorarlos. Dejar enfriar.
3. Escaldar el tomate, pelarlo y picarlo quitando las semillas. Ponerlo en un recipiente con las alubias y hacer con todo un puré. Añadir el ajo y el aceite.
4. Poner el puré en una fuente y sazonar con sal, pimienta Cayena y Tabasco.
5. Lavar el perejil, picarlo y antes de servir espolvorearlo sobre la salsa.

Salsa de cacahuete y plátano

Esta salsa debe prepararse un instante antes de servirla, de lo contrario se oscurece.

Ingredientes para 4 personas:

3 plátanos, sal

4 cucharadas de zumo de limón

4 cucharadas de curry en polvo

2 cucharadas de yogur

3 cucharadas de cacahuetes salados

Pimienta negra recién molida

Rápida

Por persona:
600 kj/140 kcal
4 g de proteínas · 5 g de grasas · 22 g de hidratos de carbono

- Tiempo de preparación: 10 minutos

1. Aplastar bien los plátanos rociarlos rápidamente con zumo de limón. Añadir el curry y el yogur.
2. Picar los cacahuetes con una picadora o con un cuchillo y mezclarlos con los plátanos. Sazonar con sal, pimienta y pimienta Cayena.

En primer plano: Salsa de cacahuetes y plátano. En segundo plano: Salsa de mango a la mostaza. Al fondo: Salsa de alubias blancas.

Salsa de Barbacoa

2 cucharadas de aceite de oliva

300 g de tomates carnosos

1 pimiento rojo, 1 cebolla

Sal, 2 dientes de ajo

Pimienta negra recién molida

1 cucharadita de pimentón dulce

1 pizca de pimienta Cayena

1 cucharadita de cáscara rallada de limón

1 cucharadita de vinagre

1-2 cucharadas de miel al gusto

Para invitados

Por persona:
300 kj/80 kcal
2 g de proteínas · 4 g de grasas · 8 g de hidratos de carbono

- Tiempo de preparación: 45 minutos

1. Picar finamente la cebolla. Calentar el aceite en una cazuela y rehogarla hasta que esté tierna. Añadir el ajo prensado y rehogarlo.
2. Escaldar los tomates, pelarlos y picarlos retirando las semillas. Rehogarlos conjuntamente con la cebolla.
3. Limpiar y lavar el pimiento, cortarlo en tiras, añadirlo a los tomates y rehogarlo.
4. Sazonar con sal, pimienta, pimienta Cayena y cáscara de limón. Cocer 10 minutos a fuego muy suave y luego hacer con todo un puré.
5. Añadir a la salsa el vinagre y la miel y dejar

cocer de nuevo hasta que se reduzca. Puede servirse caliente o fría.

Salsa de girasol y ajo

Puede servirse también con carne asado fría, pasta y carne o pescado emparrillados.

Ingredientes para 4-6 personas:

2 rebanadas de pan de molde

1/4 l de leche, 125 g de nata

100 g de pepitas de girasol

Sal, 1 ramillete de perejil

Pimienta blanca recién molida

Zumo de limón, 3 dientes de ajo

Fácil

Por 6 personas, cada porción:
850 kj/205 kcal
3 g de proteínas · 17 g de grasas · 7 g de hidratos de carbono

- Tiempo de preparación: 25 minutos

1. Quitar la corteza al pan, ponerlo en un plato y rociarlo con la leche.
2. Batir en la mezcladora el pan con la leche, las pepitas de girasol y los ajos hasta que la salsa esté cremosa. Añadir la nata y mezclarla.
3. Picar el perejil y mezclarlo con la salsa. Dejar reposar 10 minutos y sazonar con sal, pimienta y zumo de limón.

Salsa de queso de oveja

Ingredientes para 4 personas:

1 manojo de cebolletas

2-3 pimientos rojos de lata

2 cucharadas de aceite de oliva

1/8 l de vino blanco seco

300 g de queso de oveja

Sal, 1 cucharadita de orégano

Pimienta blanca recién molida

Exquisita

Por persona:
1 290 kj/300 kcal
11 g de proteínas · 10 g de grasas · 4 g de hidratos de carbono

- Tiempo de preparación: 30 minutos

1. Limpiar las cebolletas, y cortarlas en aros. Escurrir los pimientos y cortarlos en tiras.
2. Calentar el aceite, añadir las cebolletas y los pimientos y rehogar 3-5 minutos. Agregar el vino y dejar que dé un hervor.
3. Desmenuzar el queso en la salsa y dejar que se funda. Moler la salsa y reducir. Sazonar con sal, pimienta y orégano.

En primer plano: Salsa de barbacoa. En segundo plano: Salsa de queso de oveja. Al fondo Salsa de girasol y ajo.

Mayonesa

Para que la mayonesa no resulte fuerte puede sustituir la mitad del aceite por yogur o Quark (queso fresco en tarrina).

Si la conserva en el frigorífico puede durar 1 semana aproximadamente poniéndola en un tarro de cristal con tapa de rosca y cubierta con una capa de aceite en la superficie.

Ingredientes para 4 personas:
Sal, 2 yemas de huevo
1/2 cucharadita de mostaza fuerte
2 cucharaditas de zumo de limón
1/4 l de aceite vegetal
Pimienta blanca recién molida

Rápida

Por persona:
2 500 kj/600 kcal
2 g de proteínas · 65 g de grasas · 0 g de hidratos de carbono

- Tiempo de preparación: 15 minutos

1. En una fuente honda poner las yemas con un poco de sal, la mostaza y el zumo de limón y mezclar ligeramente.
Dejar reposar 1 minuto.

2. Añadir el aceite gota a gota y mezclar con las varillas o la batidora eléctrica.

3. Luego empezar a batir más enérgicamente y añadir el aceite a chorro fino, pero sólo el que admita la mayonesa.
Seguir batiendo hasta obtener una masa cremosa.

4. Sazonar con pimienta y, si es necesario, con una pizca de sal.

Variante:
Mayonesa al ajo

Al empezar a preparar la
salsa añadir 2-4 dientes de
ajo prensados (según
tamaño) y mezclarlos con las
yemas. Esta mayonesa es
excelente para pescado,
carne y fondue.

Salsa andaluza

Añadir a la mayonesa 2
cucharadas de pimientos
rojos en dados finos y 5
cucharadas de tomate
triturado. Mezclar y sazonar
con pimentón dulce y
pimienta de Cayena. Muy
buena para ensaladas de
arroz, pescado o carnes.

Salsa tártara

Añadir a la mayonesa 2
cucharadas de alcaparras, 1
chalota, 5 pepinillos, 2
cucharadas de finas hierbas,
todo muy picado, y 2
cucharaditas de zumo de
limón. Para servir con
pescado frito, fondue o carne.

Mayonesa verde ligera

Preparar la mayonesa con
200 cc de aceite.
Mezclarla con 4 cucharadas
de queso fresco desnatado.
Picar 1 ramillete de hierbas
mixtas y mezclarlo con la
salsa. Y si gusta pueden
añadirse 1-2 ajos picados.

Sugerencia

Es imprescindible que
todos los ingredientes
estén a la temperatura
ambiente para que la
salsa no se corte. Por lo
tanto, saque los huevos
del frigorífico media hora
antes. Si a pesar de todo
parece que la mayonesa
se va a cortar, añada
simplemente 1-2
cucharadas de agua
caliente y siga batiendo.

Salsa fría de tomate

Ideal para pasta (mezclarla con la pasta caliente), y para emparrillados, fondues, carne y pescado. También puede servirse caliente.

Ingredientes para 4 personas:

500 g de tomates carnosos

Sal, 2 dientes de ajo

Pimienta negra recién molida

1 cucharada de vinagre de vino tinto

2 cucharadas de aceite a las finas hierbas (o de oliva)

1 ramillete de albahaca

Rápida

Por persona:
240 kj/60 kcal
1 g de proteínas · 4 g de grasas
· 4 g de hidratos de carbono

- Tiempo de preparación: 15 minutos

1. Escaldar los tomates en agua hirviendo, pelarlos y picarlos quitando las semillas.
2. Sazonar con sal y pimienta y añadir aceite y vinagre.
Finalmente prensar los ajos y mezclarlos.
3. Lavar la albahaca y picar solamente las hojas, añadir a la salsa y mezclar todo bien.

Salsa de alcaparras

Se sirve con rosbif frío o caliente, con aspic o con verduras cocidas.

Ingredientes para 4 personas:

1/8 l de fondo claro de carne (hecho en casa o de conserva)

Sal, 1 huevo duro

Pimienta negra recién molida

2 cucharadas de vinagre de limón

4 cucharadas de aceite

4 cucharadas de alcaparras

1/2 ramillete de perejil

Especialidad

Por persona:
400 kj/95 kcal
2 g de proteínas · 10 g de grasas · 0 g de hidratos de carbono

- Tiempo de preparación: 15 minutos

1. Poner el fondo de carne en una fuente honda y añadir sal, pimienta, vinagre y aceite y batir todo con las varillas o la batidora hasta que esté cremoso.
2. Picar la mitad de las alcaparras y el huevo duro y añadirlo a la salsa junto con las alcaparras enteras.
3. Lavar y secar el perejil. Picar solamente las hojas y mezclar con la salsa.

Salsa de rabanitos

Especial para aspics y ensalada de embutido.

Ingredientes para 4 personas:

3 cucharadas de vinagre de jerez

Sal, 1-2 manojos de rabanitos

Pimienta blanca recién molida

5 cucharadas de aceite de oliva

Refinada

Por personas unos:
400 kj/95 kcal
0 g de proteínas · 10 g de grasas · 1 g de hidratos de carbono

- Tiempo de preparación: 10 minutos

1. Remover en una fuente el vinagre y la sal hasta que ésta se haya desleído. Luego añadir poco a poco el aceite y sazonar con pimienta. Batir continuamente con las varillas hasta obtener una marinada cremosa.
2. Lavar los rabanitos y las hojas, picarlos y añadir a la salsa removiendo bien.

En primer plano: Salsa de alcaparras. En segundo plano: Salsa fría de tomate. Al fondo: Salsa de rabanitos.

Salsa verde al estilo de Francfort

Una ligera variante de la ya famosa salsa. Se sirve con patatas, aspic, huevos escalfados, carne cocida y hamburguesas.

Ingredientes para 4 personas:

Eneldo, albahaca, perejil y cebollino (1 ramillete de cada)

1 puñado de perifollo

1 ramita de levística, 3 huevos

2-3 ramitas de estragón (o una mezcla de hierbas para salsa verde)

Y si gusta, puede añadirse berros, pimpinela, borraja y melisa

1 cebolla pequeña

150 g de nata agria

250 g de queso fresco cremoso

Sal, 150 g de yogur

Pimienta blanca recién molida

3-4 cucharadas de zumo de limón

1 chispa de salsa Worcester

1 pizca de pimentón fino

Exquisita

Por persona:
980 kj/230 kcal
15 g de proteínas · 17 de grasas · 6 g de hidratos de carbono

- Tiempo de preparación: 35 minutos

1. Cocer los huevos duros, pasarlos por agua fría, pelarlos y picarlos muy finos.
2. Lavar las hierbas y la cebolla, picarlas muy finas.
3. Mezclar la nata, el yogur y el queso fresco y remover hasta que esté cremoso. Sazonar con sal, pimienta, zumo de limón, salsa Worcester y pimentón. Finalmente añadir las hierbas, la cebolla y los huevos y mezclar todo bien.

Salsa de atún

Se sirve con pasta, verduras al vapor y huevos cocidos.

Ingredientes para 4 personas:

2 latas de atún (de 150 g)

2 filetes de anchoa

1/8 l de aceite de oliva

Zumo de limón, 3 yemas de huevo

Sal, 2 cucharadas de alcaparras

Pimienta negra recién molida

Especialidad italiana

Por persona:
200 kj/520 kcal
20 g de proteínas · 50 g de grasas · 0 g de hidratos de carbono

- Tiempo de preparación: 20 minutos

1. Escurrir el atún. Lavar las anchoas, secarlas y moler ambas cosas en la mezcladora.
2. Batir las yemas en una fuente. Añadir el aceite a chorro fino sin dejar de batir hasta obtener una mayonesa cremosa.
3. Mezclar la crema de atún y anchoas con la mayonesa y agregar el zumo de limón y las alcaparras. Salpimentar abundantemente. Mantener tapada en sitio fresco hasta el momento de servirla.

Salsa de Roquefort

Adecuada para col china, berza blanca, lechuga francesa o endibia.

Ingredientes para 4 personas:

100 g de Roquefort (o cualquier otro queso azul)

2 cucharadas de nata agria

2 cucharadas de mayonesa

1 cucharada de vinagre de vino

Sal, zumo de limón

Pimienta blanca recién molida

Rápida

Por persona:
660 kj/160 kcal
5 g de proteínas · 14 g de grasas · 1 g de hidratos de carbono

- Tiempo de preparación: 10 minutos

1. Aplastar el queso con un tenedor y mezclarlo con la nata agria, la mayonesa y el vinagre.
2. Sazonar con sal, pimienta y zumo de limón

En primer plano: Salsa de Roquefort. En segundo plano: Salsa de atún. Al fondo: Salsa verde al estilo de Francfort.

Salsa de mostaza a las finas hierbas

Para carne asada fría, aspic y filetes de pescado.

Ingredientes para 4-6 personas:
2 huevos, 2 yemas de huevo
1 cucharada de mostaza semi-dulce
Sal, 1/4 l de aceite
Pimienta negra recién molida
4 cucharadas de vinagre de vino
4 cucharadas de crema fresca
1 ramillete de hierbas (perifollo, eneldo, cebollino, berros, perejil)
1 cucharada de alcaparras
1 cebolla pequeña
3 pepinillos en vinagre
2 filetes de anchoa

Exquisita

Para 6 personas, cada porción:
1330 kj/320 kcal
3 g de proteínas · 35 g de grasas · 1 g de hidratos de carbono

● Tiempo de preparación:
40 minutos

1. Cocer los huevos 10 minutos, pasarlos por agua fría, pelarlos y cortarlos a la mitad. Poner las yemas en un recipiente hondo.
2. Añadir las yemas crudas y la mostaza y remover bien. Agregar el aceite, primero gota a gota y luego a chorro fino sin dejar de remover hasta obtener una salsa cremosa.

3. Sazonar con sal, pimienta y vinagre. Incorporar la crema fresca con cuidado.
4. Lavar las hierbas, escurrirlas y picarlas. Cortar en dados finos las alcaparras, la cebolla y los pepinillos. Lavar las anchoas y picarlas. Mezclar todo con la salsa o remoulade y rectificar de sal. Servir la salsa adornada con clara de huevo.

Vinagreta

Esta salsa clásica le va bien a cualquier ensalada.

Ingredientes para 4 personas:
Sal, 3 cucharadas de vinagre
4 cucharadas de aceite
Pimienta recién molida

Exquisita

Por persona:
560 kj/130 kcal
0 g de proteínas · 15 g de grasas · 0 g de hidratos de carbono

● Tiempo de preparación:
10 minutos

1. En una fuente poner el vinagre y la sal y remover hasta que la sal esté disuelta.
2. Añadir el aceite a chorro fino removiendo sin parar hasta que la salsa esté cremosa. Sazonar con pimienta.

Variante:

La vinagreta puede variarse, por ejemplo, con cebolla, ajo y hierbas picadas, mostaza y dados de bacon fritos, queso cortado en dados, huevos picados, nueces, semillas de sésamo, comino o anís, mezcladas con la salsa.

Salsa de limón

Muy buena para el salmón ahumado, carpacio (carne de novillo marinada) o verdura.

Ingredientes para 4 personas:
1 cucharada de mostaza de Dijon
3 yemas de huevo
El zumo de 2 limones
Sal, 1 cucharada de aceite
Pimienta blanca recién molida

Rápida

Por persona:
300 kj/70 kcal
3 g de proteínas · 7 g de grasas · 0 g de hidratos de carbono

● Tiempo de preparación:
10 minutos

1. Remover en una fuente la mostaza y las yemas, añadir poco a poco el limón y el aceite sin dejar de remover hasta obtener una salsa cremosa.
2. Sazonar con sal y pimienta al gusto.

Foto superior: Vinagreta (izquierda) y Salsa a las finas hierbas (derecha).
Foto inferior: Salsa de limón.

Salsa de aguacate con berros

Salsa espesa (Dip) para servir con verduras en crudo, carne fría, fondue o como salsa para ensalada de patatas. Debe ser preparara poco antes de servirla.
Mantenerla tapada en sitio fresco y removerla al momento de servirla.

Ingredientes para 4 personas:
1 aguacate madura
El zumo de 1/2 limón
250 g de queso fresco descremado
1/2 cucharadita de cilantro molido
Sal, 1 pizca de pimienta de Cayena
Pimienta blanca recién molida
100 g de berros

Fácil

Por persona:
660 kj/160 kcal
9 g de proteínas · 12 g de grasas · 3 de hidratos de carbono

• Tiempo de preparación: 10 minutos

1. Cortar el aguacate a la mitad a la larga, y sacar el hueso y la pulpa con una cucharilla. Rociarlo rápidamente con el zumo de limón para que no se oscurezca.

2. Moler en la mezcladora la pulpa de aguacate, el queso, el cilantro, sal, pimienta y pimienta Cayena y hacer una crema fina.

3. Poner la salsa en un bol de cristal y rectificar de sal y pimienta si es necesario. Lavar los berros y con una tijera cortarlos y mezclarlos con la salsa.

4. Remover de nuevo la salsa y espolvorear por encima el resto de los berros cortados muy menudos.

Salsa verde

La salsa clásica para el «Bollito misto», una especialidad italiana compuesta por carne, lengua, pollo y ternera cocidos. Pero puedo servirse también con aspic o huevos escalfados. Es exquisita.

Ingredientes para 4 personas:
2 ramilletes de perejil
2 filetes de anchoa
2 chalotas, 1 diente de ajo
2 cucharadas de alcaparras
2 cucharadas de pan rallado
El zumo de 1/2 limón
Sal, 1/8 l de aceite de oliva
Pimienta negra recién molida

Especialidad italiana

Por persona:
1 300 kj/310 kcal
2 g de proteínas · 32 g de grasas · 5 g de hidratos de carbono

- Tiempo de preparación: 1 hora y 20 minutos (de los cuales 1 hora es para el marinado)

1. Lavar el perejil, secarlo y picar las hojitas muy finas. Lavar las anchoas y picarlas.

2. Pelar las chalotas y el ajo y picarlos. Escurrir las alcaparras y picarlas.

3. Poner todo en una fuente y añadir el pan rallado y el zumo de limón. Agregar el aceite poco a poco sin dejar de remover hasta que espese la salsa.

4. Finalmente sazonar con sal y pimienta. Tapar la salsa y dejar reposar por lo menos 1 hora. Antes de servirla remover de nuevo.

Salsa de nueces y Kefir

Para servir con verduras crudas

Ingredientes para 4 personas:

200 g de Kefir

2 cucharadas de aceite de nuez (o cualquier aceite vegetal)

1/2 cucharadita de pimentón picante

Sal, 2 ramilletes de cebollino

Pimienta negra recién molida

100 g de nueces (mitades)

125 g de nata

Refinada

Por persona:
1 400 kj/330 kcal
6 g de proteínas · 31 g de grasas · 6 g de hidratos de carbono

- Tiempo de preparación:
  10 minutos

1. Mezclar en un bol el Kefir con el aceite removiendo bien y sazonar con pimentón, sal y pimienta.
2. Picar las nueces con picadora o cuchillo y añadirlas al Kefir. Reservar algunas para el adorno.
3. Lavar el cebollino, secarlo y cortarlo en trocitos.
4. Montar la nata y añadirla con el cebollino a la salsa. Rectificar la sazón si es necesario y servir adornada con nueces picadas.

Salsa de rábano picante

Para carne asada o cocida y también para pescado

Ingredientes para 4 personas:

200 g de rábano picante

200 g de crema fresca

1 cucharadita de mostaza picante

Sal, 150 g de yogur

Pimienta blanca recién molida

Fácil

Por persona unos:
1 000 kj/240 kcal
4 g de proteínas · 22 g de grasa · 9 g de hidratos de carbono

- Tiempo de preparación:
  15 minutos

1. Pelar los rábanos y rallarlos finos con el rallador de verdura. O picarlos menudos con una picadora.
2. Mezclar bien la crema fresca con el yogur y la mostaza y añadir al rábano rallado.
Salpimentar al gusto.

Sugerencia

Si no dispone de rábanos frescos utilice la misma cantidad de los de conserva. En este caso la salsa no será tan fuerte.

Salsa de cilantro

Para patatas en ensalda, ensalada de carne o chuletillas de lechazo.

Ingredientes para 4 personas:

1 cucharada de cilantro en grano

El zumo de 1 limón, 1 chalota

5 cucharadas de aceite de oliva

Sal, 1 pizca de azúcar

Pimienta negra recién molida

1 ramillete de cilantro fresco

Refinada

Por persona unos:
400 kj/95 kcal
0 g de proteínas · 10 g de grasa · 1 g de hidratos de carbono

- Tiempo de preparación:
  10 minutos

1. Pelar la chalota y picarla fina. Machacar los granos de cilantro en el mortero.
2. Hacer una salsa cremosa con el zumo de limón, el aceite, sal, pimienta y azúcar batiendo todo con las varillas. Incorporar la chalota picada y el cilantro.
3. Lavar el cilantro fresco, escurrirlo, picarlo y añadirlo c la salsa.

En primer plano: Salsa de cilantro. En segundo plano: Salsa de rábano picante. Al fondo: Salsa de nueces y Kefir

Salsa de naranja

Para servir con plátanos fritos, helado de vainilla o sorbete de naranja.

Ingredientes para 4 personas:

4 naranjas

3 cucharadas de vino blanco seco (o zumo de naranja)

2 cucharadas de azúcar

30 g de mantequilla fría

4 gotas de aceite de almendras amargas

Fácil

Por persona:
540 kj/130 kcal
1 g de proteínas · 6 g de grasas · 16 de hidratos de carbono

- Tiempo de preparación: 20 minutos

1. Lavar una de las naranjas con agua muy caliente, secarla, pelarla muy fina y cortar la cáscara en juliana finísima. Rociarla con agua hirviendo y escurrirla en un colador.
2. Exprimir las 4 naranjas y hervir el zumo de la juliana, el vino blanco y el azúcar. Cocer hasta que se reduzca un poco el zumo.
3. Cortar la mantequilla en trozos y añadirla al zumo removiendo con las varillas. Perfumar con el aceite de almendras.

Salsa a la espuma de sidra

Muy fina para tortitas de manzana, helado de vainilla o bayas frescas.

Ingredientes para 4 personas:

4 yemas de huevo

5 cucharadas de azúcar

3/8 l de sidra

Canela molida

Refinada

Por persona unos:
930 kj/220 kcal
3 g de proteína · 6 g de grasas · 14 g de hidratos de carbono.

- Tiempo de preparación: 10 minutos

1. En una fuente de metal batir a punto de espuma las yemas con el azúcar utilizando las varillas o la batidora.
2. Colocar la fuente al baño maría y seguir batiendo hasta que la masa esté cremosa.
3. Agregar poco a poco la sidra sin dejar de remover. Servir caliente espolvoreada con canela.

Sabayón de ron

Una excelente combinación de todos sus ingredientes. Muy apropiado para servir con frutos exóticos, macedonia de frutas o sorbetes.

Ingredientes para 4 personas:

4 yemas de huevo

4 cucharadas de azúcar

8 cucharadas de ron blanco o ron oscuro

Especialidad

Por persona:
630 kj/150 kcal
3 g de proteínas · 6 g de grasas · 10 g de hidratos de carbono

- Tiempo de preparación: 15 minutos

1. Batir las yemas con el azúcar en un recipiente hondo de metal hasta que estén espumosas.
2. Poner el recipiente al baño maría (sin que el agua llegue a hervir para que las yemas no se corten) y seguir batiendo hasta obtener una masa cremosa.
3. Mezclar el ron con 1/8 l de agua y añadirlo durante el batido. Servir el sabayón inmediatamente.

En primer plano: Sabayón de ron. En segundo plano: Salsa de naranja. Al fondo: Salsa a la espuma de sidra.

Salsa de mango

Ingredientes para 4 personas:

1 mango maduro

100 cc de agua

1 cucharada de miel

1 cucharada de zumo de limón

4 cl de licor de melón (o licor de naranja, sustituible por un zumo de fruta amarillo)

Refinada

Por persona:
240 kj/60 kcal
0 g de proteínas · 0 g de grasas · 12 g de hidratos de carbono

- Tiempo de preparación:
  1 1/4 horas (una de ellas de reposo en el frigorífico)

1. Pelar el mango y separar la pulpa del hueso. Poner en una cazuela, añadir el agua y llevar a ebullición. Agregar la miel y el zumo de limón y cocer 5 minutos (según la madurez del mango) hasta que esté tierno. **2.** Molerlo en la mezcladora, añadir el licor de melón y dejar enfriar en el frigorífico.

Variante:

Cuando la salsa esté fría añadirle 3 cucharadas de nata montada.

Salsa de alfajores

Para manzanas asadas, fruta fresca, pudín de vainilla, crema de almendras y helado

Ingredientes para 4 personas:

4 alfajores de chocolate

3/8 l de leche

125 g de nata

Fácil

Para 8 personas, por porción:
650 kj/155 kcal
3 g de proteínas · 11 g de grasas · 13 g de hidratos de carbono

- Tiempo de preparación:
  20 minutos

1. Trocear los alfajores y cocerlos con la leche a fuego suave durante 5 minutos. Molerlos con la mezcladora. **2.** Montar la nata y añadirla a la salsa.

Salsa de membrillo al champán

Una salsa fuera de lo común Adecuada para el parfait de miel, suflé de pan de especias o pudín de sémola.

Ingredientes para 4 personas:

3 membrillos pequeños (unos 350 g

El zumo de 1 limón

3/8 l de champán seco

2 cucharadas de miel

Refinada

Por persona unos:
720 kj/170 kcal
1 g de proteínas · 1 g de grasas · 25 g de hidratos de carbono

- Tiempo de preparación:
  50 minutos

1. Pelar los membrillos, cortarlos en octavos y quitarles las semillas. Ponerlo en una cazuela con el zumo de limón, el champán y la miel y cocer tapado 40 minutos a fuego muy suave hasta que la fruta se deshaga. **2.** Hacer con todo un puré y conservar en el frigorífico.

*En primer plano: Salsa de alfajore
En segundo plano: Salsa de membrillo al champán. Al fondo: Salsa de mango.*

Salsa de vainilla

Se sirve caliente o fría. Es la salsa clásica manzanas asadas, helado de chocolate.

Ingredientes para 4 personas:

2 yemas de huevo

4 cucharadas de azúcar

1 barra de vainilla

2 cucharaditas de fécula

1/2 l de leche fría

Fácil

Por persona:
680 kj/160 kcal
6 g de proteínas · 7 g de grasas · 18 g de hidratos de carbono

● Tiempo de preparación: 15 minutos

1. Batir las yemas con el azúcar hasta que estén cremosas.
2. Cortar la vainilla a la larga, raspar su interior y mezclarlo con la fécula y la leche. Poner en una cazuela. Añadir las yemas y calentarlo a fuego suave removiendo hasta que adquiera una consistencia cremosa. Tener cuidado de que no hierva, pues se cortaría.

Sugerencia

La vainilla rallada sobrante puede conservarse en un tarro de cristal mezclada con azúcar.

Salsa de queso fresco y limón

Se sirve templada con helado, frutos frescos, mousse o compota. También puede servirse fría.

Ingredientes para 4 personas:

2 yemas de huevo

2 cucharadas de azúcar

1 sobrecito de azúcar de vainilla

200 g de queso fresco

3 cucharadas de nata, sal

4 cucharadas de licor de frambuesa (o nata)

Refinada

Por persona:
820 kj/200 kcal
7 g de proteínas · 13 g de grasas · 8 g de hidratos de carbono

● Tiempo de preparación: 15 minutos

1. Poner las yemas y el azúcar en un bol y batirlas hasta que estén cremosas. Espolvorear con el azúcar avainillado y añadir el queso poco a poco batiendo.
2. Calentar la crema muy despacio batiendo continuamente. No debe cocer.
3. Lavar el limón, secarlo y rallar la cáscara. Preparar la nata semi-montada y mezclarla con la ralladura de limón y el licor. Añadir a la crema. Enfriar.

Salsa de caramelo

Para helado, pudín o frutas cocidas.

Ingredientes para 4 personas:

2 cucharadas de mantequilla

3 cucharadas de azúcar

200 g de nata

4 cucharadas de licor de almendras amargas (o nata)

2 cucharadas de almendras fileteadas

Especialidad

Por persona:
1 200 kj/290 kcal
2 g de proteínas · 25 g de grasas · 13 g de hidratos de carbono

● Tiempo de preparación: 10 minutos

1. Derretir la mantequilla en una sartén, añadir el azúcar, remojar y dejar que se tueste.
2. Agregar la nata y dejar cocer brevemente a fuego muy suave. Añadir el licor y remover de nuevo.
3. Tostar las almendras en una sartén de teflón sin grasa y moviendo continuamente. Esparcir sobre la salsa.

En primer plano: Salsa de vainilla. En segundo plano: Salsa de queso fresco y limón. Al fondo: Salsa de caramelo

Cornelia Adam

Comenzó trabajando en hostelería. Más tarde, como redactora de una conocida revista para la mujer, escribió numerosos artículos sobre gastronomía basados en su experiencia profesional en el extranjero. Desde hace tiempo viene dedicándose al periodismo culinario y a la fotografía gastronómica.

Odette Teubner

Hija del internacionalmente famoso fotógrafo gastronómico Christian Teubner, desde que finalizó su formación profesional trabaja en el estudio de su padre. En sus ratos libres le encanta retratar niños.

Kerstin Mosny

Obtuvo la titulación de fotógrafo profesional en Suiza.
Posteriormente trabajó en diferentes estudios, entre otros el del fotógrafo gastronómico Tapprich, en Zurich.
Desde marzo de 1985 trabaja en Fotostudio Teubner.

Título original: *Saucen-einfach gut!*

Traducción: *María del Carmen Vega Álvarez*

© Gräfe und Unzer GmbH, 1990 y
EDITORIAL EVEREST, S. A.
Carretera León-La Coruña, km 5 - LEÓN
ISBN: 84-241-2324-7
Depósito legal: LE. 1054-1992
Printed in Spain - Impreso en España

EDITORIAL EVERGRÁFICAS, S. A.
Carretera León-La Coruña, km 5
LEÓN (España)